Lumière des puys

De la même auteure :

Inclinations, Éditions du Noroît, 1999.

Doigts d'ombre, Éditions du Noroît, 1995.

L'auteure remercie le Conseil des Arts et des Lettres du Québec pour son appui.

GERMAINE MORNARD

Lumière des puys

Éditions du Noroît

Le Noroît souffle où il veut, en partie grâce aux subventions du Conseil des Arts du Canada et de la Société de développement des entreprises culturelles du Québec.

Les Éditions du Noroît bénéficient également de l'appui du ministère du Patrimoine canadien dans le cadre du Programme d'aide au développement de l'industrie de l'édition (PADIÉ), ainsi que du Programme de crédit d'impôt pour l'édition de livres du gouvernement du Québec (gestion SODEC).

Artiste : Marie Jeanne Musiol, *Corps de lumière*,
        Collection Axe-Néo-7
Infographie : Geneviève Desautels

Dépôt légal : 3ᵉ trimestre 2002
Bibliothèque nationale du Québec
Bibliothèque nationale du Canada
ISBN : 2-89018-492-7

Données de catalogage avant publication (Canada)
Mornard, Germaine
   Lumière des puys
   Poèmes.
   ISBN 2-89018-492-7
   I. Titre.

PS8576.O734L85 2002   C841'54   C2002-941492-X
PS9576.O734L85 2002
PQ3919.2.M67L85 2002

DISTRIBUTION AU CANADA
EN LIBRAIRIE
Fides   Éditions du Noroît
165, rue Deslauriers   6694, avenue Papineau
Saint-Laurent (Québec) H4N 2S4   Montréal (Québec) H2G 2X2
Téléphone : (514) 745-4290   Téléphone : (514) 727-0005
Télécopieur : (514) 745-4299   Télécopieur : (514) 723-6660
                                   lenoroit@ca.inter.net
                                   lenoroit.multimania.com

DISTRIBUTION EN EUROPE
Librairie du Québec
30, rue Gay-Lussac
75005 Paris
Téléphone : 01 43 54 49 02
Télécopieur : 01 43 54 39 15
liquebec@noos.fr

Imprimé au Québec, Canada

à la mémoire de ma grand-mère,
Lumina Caron

Ascendantes

peu de bagages pour l'ascension
seule la vie donnée
demeure

dans le sang de nos mères
coulait la ténacité de l'Irlande

malgré nous nous aimons le nord
sous ses rafales répétitives

nous demeurons
émerveillées d'une pousse sur une colline d'avril

de la saillie
pointe la source

des pieds l'ont parcourue

pour d'autres jours
nos chevilles creusent

diaphanes nos poignets
répandent des fleurs d'épeautre

pour gravir le versant
nos jambes épousent la roche

le pas transporte l'écho
frémit comme l'œuvre enchante

en route un lac de lune
un trou d'eau façonné à la pelle

miroir de l'enfance
envahi de feuilles mortes

on idolâtre la magie
de sa forme comme à huit ans

nous franchissons des semaines de glace

collé à la paroi le corps
est un abîme peuplé d'étreintes

aveugle sur les lacets
d'un défilé changeant

le même souvenir
dix mille fois retracé
n'arrive pas à détourner
la montagne des morts

sur le dos la peine de tous
les cadavres du siècle

il n'y aura pas de résurrection

la mémoire de la terre
aujourd'hui spoliée
désemparée

l'accablement du jour
fut notre lot
plus que quelques heures
avant la grande montée

venues d'ailleurs
nous reprenons
le courage de nos belles ancêtres

ma douce lumière je suis ta trace
ma luxuriante grand-mère

nous arrivons

là où les chemins dispersent

les baisers la musique et les chats

ne nous intéressent plus

le spectre des cimes attend

le cœur turquoise des passagères

une reine se prosterne au ponant

la soie sur ses épaules

se marie aux bracelets

nous songeons aux parfums de ses mains

que l'abondance de la mémoire apaise la fin du jour

genoux noyés

dans la neige molle du ravissement

nous ramassons nos jambes

en plein couchant

avec une pelle et un seau gris

des insectes grugent notre chair
se délectent de notre sang
bourdonnent jusqu'à nous faire vomir

on se retrouve dans des bocaux sans rémission
quand on essaie
de combattre les mouches

on se disloque
au bas de l'échelle
sur des machines qui ne donnent rien

souvent on voudrait n'être qu'une pomme
sous le regard d'un peintre

un mur

qu'on ne défonce plus

dans la pénombre

l'orange des briques

s'ouvrait pourtant à la lumière de l'aube

le vent de printemps change les nuques

on voudrait bien poursuivre

toujours le même visage

l'amour comme une coulée de mars

qui empoisonne

jusqu'à la lie

ça pleure en dedans

les tourments qu'on n'arrive plus

à dénouer

nos cœurs vieillissent

bien mal

perdent leurs pigments plus vite

que nos enveloppes de chair

en marchant
nous léchons nos plaies

l'amour n'aura pas consolé
l'effondrement de l'enfance

dans le miroir des flaques
nous restons belles

naviguons à la boussole des heures

infiniment on aime les arbres

dans la terre sèche

ou dans la neige

feuilles et aiguilles

s'ajustent au vent

de grands pins de Provence

poussent en Estrie

entre les tiges de bois rouillées
nous progressons péniblement

des traces de sang sur les bouleaux

le hamac rouge de la Sainte-Enfance
a plongé dans un lac d'enfers

nous avons perdu
quelques femmes en chemin
elles n'avaient plus la jambe rapide
que l'on masse pour l'arrivée

les pieds gonflés leurs os hurlaient
à la hauteur des cuisses

l'arbre amputé de son bras gauche
veille nuit et jour sur la montée

son tronc blessé indique

qu'on soit du rang ou de nulle part
on cherche toujours un temple à suivre
un vieux portier qui guette la route

nos paumes criblées de doutes

malgré les serments les sommets
nous répétons l'asservissement

comment croire à une voie nomade
quand tout autour sans pieds sans poings
des femmes des hommes s'enterrent dans la
poussière des siècles ?

L'étroitesse des gorges

Qui construirait son refuge
dans les solitudes du Mont-Orphelin ?

Sou Tong-P'O

sur les à-pics certaines poursuivent

elles portent
les faux paquets de leurs amours

jetés du haut d'un fjord
tant de visages
brûlent encore

empoisonnées par le décor

elles n'avancent plus qu'à petits pas calculés

au matin elles ferment les yeux

sur les enfants aux poings chargés

l'enfance se tire

même à six ans

sur cette planète parfaite

coquilles menteuses
les fleurs séchées suintent

elles savent qu'il est temps de partir
l'histoire n'aura pas été
celle dont elles rêvaient

l'échine s'abaisse sous les poignards
leurs manches survivent
plantés dans le dos

au sommet la tranquillité
elles croient qu'elles n'y arriveront jamais

les ombres de la traverse
se déchaînent en leurs flancs

les montagnes s'abîment dans les gorges

des mains cueillent
l'enfant dans le sang de la mère
cela gicle jusqu'au bord de la mort
qui apparaît ouateuse et tendre
face à l'écho des étriers

elles se souviennent
vingt ans plus tard
la tête posée sur la falaise des ventres

pour Maude P.

prends mon enfant

prends mon enfant

je te le donne

dans une cité de dépotoirs

des femmes accouchent

et ventre vide

offrent leur fille

à une passante

prends mon enfant

prends mon enfant

je te le donne

et ventre vide

pour cette bouche-là

et ventre vide

pour cette bouche-là

remplir cette bouche

enfin

au milieu de la pente
elles n'ont pas oublié
les taches sur les draps
et la douleur des chambres

elles se construisent
pour le pardon
un gîte d'ardoises
rose et orange
sous les grands pins

des cabanes de vieillards
avec leurs cordes de bois

elles les entendent grommeler
– qui marche ainsi à travers les cimes ? –

elles ont envie d'être comme eux
leur tête recluse
errante parmi les songes d'un traversin piqué

à force

de croire à l'évidence

elles s'usent tellement

qu'elles se voient mieux

dans un bac vert

que dans la vie

quand il chavire
le poids de l'enfant-mage écrase

si elles pouvaient vivre à sa place
ses heures de givre

je prie pour que renaisse
ton regard calme de nouveau-né

la pluie battante
sur le puits de lumière

– si fatiguées d'être des guerrières –

elles baissent les bras pour remonter le fil de l'eau
sur un carreau penché

un camion pour l'abattoir

elles voudraient ouvrir toutes les portes

que les grandes truies s'enfuient en grognonnant
     sur la colline

inutilement

où que l'on aille

la meute mastique

les prunelles blanchissent
quand elles se mirent

la pupille aimée a quitté l'œil

les iris tendres sont condamnés
à la recherche de leur éclat perdu

quelques flocons

collent à leur tête

et elles s'en vont

le long d'une route bordée de platanes

avec la main comme celle d'un peintre

qui ne pourrait plus

tenir un charbon

La ballade de la Sainte-Victoire…

*Alors, comprenant que Wang-Fô venait de lui faire
cadeau d'une âme et d'une perception neuves,
Ling coucha respectueusement le vieillard dans
la chambre où ses père et mère étaient morts.*

Marguerite Yourcenar

je pars

vers les nuages de Baudelaire

sur la montagne de Cézanne

au bord de la mer de Proust

je pars

le long des vignes de Colette

sur la route de Kamouraska

à la rencontre de l'orignal de Miron

je pars

et laissez-moi toujours partir

vers ce miracle des grandes pages

où la vie ne finit pas

en pantomime grossière

je suis le massif le long des crêtes
là-haut le blanc
courbe la Provence

je marche toujours parmi l'enfance
limpide pour mon idole géante

sur les adrets des roses sauvages
des oliviers et des genêts
je me balade dans le pays
de cet homme-là
parmi les siècles ses pinceaux taillent
un mas un puy
un fruit une ombre
des *Grandes Baigneuses*

je le salue en vraie jeune fille
qui inviterait l'ange de ses rêves

au Jas de Bouffan

un arbre

je reconnais sur son écorce

le vert d'une jupe

Madame Cézanne dans un fauteuil rouge

la coïncidence des traces figure

la voie sacrée

mes fantômes resurgissent
dans les creux

on peut m'amadouer me dorloter me materner

je me réveille
hurlante sur une galerie
en pleine nuit moite

aux alentours tout est figé
ça crie de loin
dans mes draps blancs

je promène
les cadavres de l'amour
dans leur boîte d'allumettes

pendus à l'emplacement
de ce qui me sert
de cœur

lisse ou grumeleuse

la répétition de la touche

mène à la sérénité

pour le regard

le vieux Cézanne dort avec moi

un jardinier sorti d'une toile
un rire d'enfant dans la cour du château Picasso
un lézard endimanché pour le déjeuner de *Chez Amed*

je savoure des souvenirs et des odeurs
de ce village nappés de soleils

les soirs d'hiver je m'y rattache
comme une bergère se réchauffant
les pieds sous les étoiles du Midi

devant l'ampleur des cimes
je réalise que j'ai mué

une étrangère descend de la croix
ses genoux troués et ses mains sales

elle s'aperçoit qu'au bout de la pente
rien ne se donne
que le vertige

en altitude les face-à-face sont douloureux
plus aucun moine au prieuré

restent le roc et les genêts
je vieillirai
seule avec eux

mon âme est un noyau
je l'attendris comme en passant

rêver la voix agile d'un fruit d'été

je sème depuis bien trop de lunes
l'écho des os

des hanches où l'eau ruisselle

ce corps entraperçu

aimé de loin

pétales fuyants d'un nénuphar

que je n'ouvrirai jamais

je me baigne

dans la mer des montagnes

sur les hauts plateaux je rajeunis

ma voix s'élève

rejette au loin

les serres de ses squelettes passés

ma Sainte-Victoire

est le sein gauche

d'une grande déesse

couvrant la terre

presque alanguie à certaines heures

elle se confond avec le ciel

pour l'honorer il faut savoir

quelle est la voie des éveillés

de ceux qui croient en d'autres signes

à perte de vue nous lui offrons

nos vies données pour la beauté

… et son envoi

Les petits pins sur la montagne te ressemblent.
Leurs bras tendus vers le ciel s'accordent à la ferveur du jour.
Leur résistance devant la neige semble incroyable.

Ils te ressemblent : avant ta mort chacun de tes enfants gisait déjà au cimetière,
ton œil pourtant restait moqueur lorsque tu t'avançais vers moi,
moi, ta petite-fille.

Depuis, du nord au sud, j'ai contemplé des centaines d'êtres, des milliers d'heures ; personne n'a su m'offrir l'espièglerie et la bonté de tes yeux vifs qui m'envoûtaient.

Ma Lumina, ta sève est mon trésor pour adoucir l'hiver.

Table

Lumière des puys a été composé
en caractères Caslon Book corps 11,5 et achevé d'imprimer
par AGMV Marquis inc.
le 1er jour du mois d'octobre de l'an deux mille deux
pour le compte des Éditions du Noroît
sous la direction littéraire de Paul Bélanger.